婴儿动物故事绘本集

海豚出版社
DOLPHIN BOOKS
CIPG 中国国际出版集团

图书在版编目（CIP）数据

婴儿动物故事绘本集 / 独角王工作室编绘. —北京：海豚出版社，2008.8

ISBN 978-7-80138-875-9

Ⅰ. 婴… Ⅱ. 独… Ⅲ. 图画故事—中国—当代 Ⅳ. I287.8

中国版本图书馆 CIP 数据核字(2008)第 105569 号

婴儿动物故事绘本集

责任编辑：张嫒嫒
装帧设计：独角王工作室

出　　版：海豚出版社
出 版 人：李富根
网　　址：http://www.dolphin-books.com.cn
地　　址：北京百万庄大街 24 号　邮　编：100037
电　　话：010－68997480(销售)　010－68326332(投稿)
传　　真：010－68993503
印　　刷：北京市宇海印刷厂
经　　销：新华书店
开　　本：24 开(889 毫米×1194 毫米)
印　　张：4
字　　数：5 千
版　　次：2008 年 8 月第 1 版　2008 年 8 月第 1 次印刷
标准书号：ISBN 978-7-80138-875-9
定　　价：12.00 元

目录

井底之蛙 1

猪大哥点数 9

毛毛虫 19

没有牙齿的大老虎 27

猴子捞月 37

分苹果 47

有趣的小手帕 57

谁对谁错 67

谁的苹果 75

老槐树和啄木鸟 83

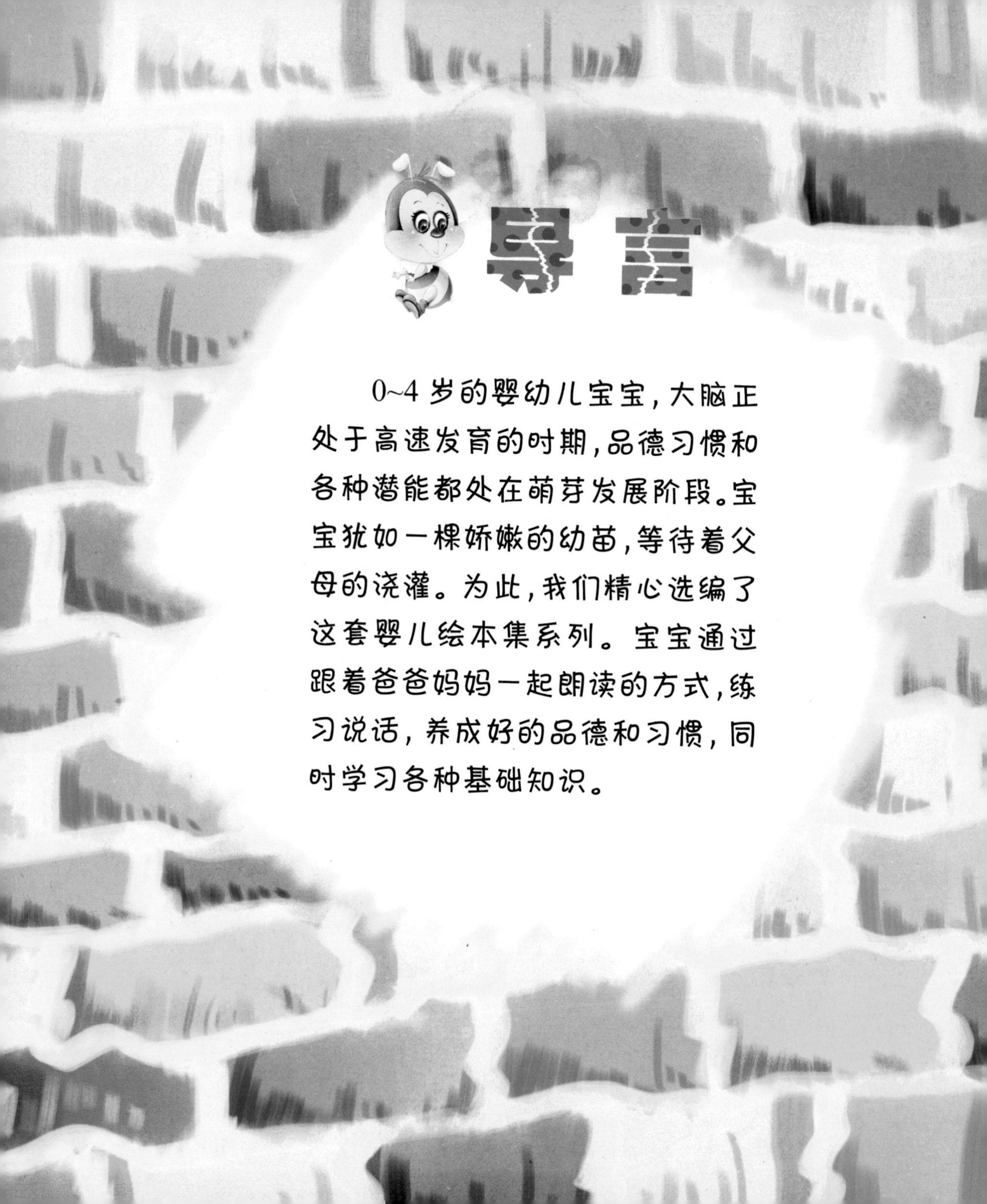

导言

0~4 岁的婴幼儿宝宝，大脑正处于高速发育的时期，品德习惯和各种潜能都处在萌芽发展阶段。宝宝犹如一棵娇嫩的幼苗，等待着父母的浇灌。为此，我们精心选编了这套婴儿绘本集系列。宝宝通过跟着爸爸妈妈一起朗读的方式，练习说话，养成好的品德和习惯，同时学习各种基础知识。

婴儿 DONG WU GU SHI HUI BEN JI

井底之蛙

育儿宝典：

自大的青蛙从小就住在井里，哪儿都没去过，它当然不知道有比自家还要大的海洋了。这则故事告诉我们，不仅要学习本领，增长知识，同时还要学会谦虚，不能像青蛙那样夸夸其谈，这样一定会闹出许多笑话的。

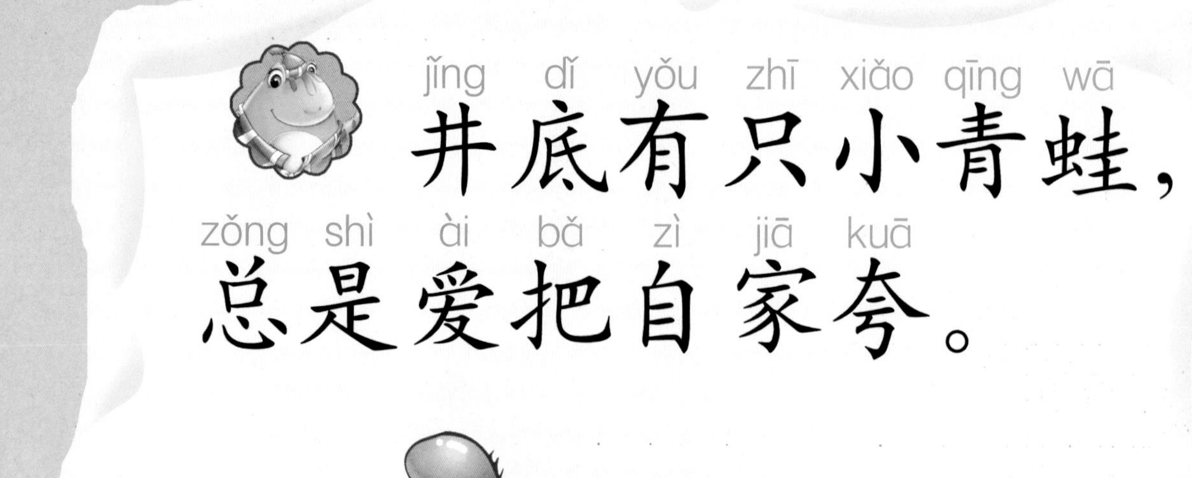

jǐng dǐ yǒu zhī xiǎo qīng wā
井底有只小青蛙，

zǒng shì ài bǎ zì jiā kuā
总是爱把自家夸。

guā guā guā wǒ
“呱呱呱，我
jiā zuì kuān chang méi nǎ
家最宽敞，没哪
er bǐ tā dà
儿比它大。”

yì zhī xiǎo wū guī
一只小乌龟
lù guò shuǐ jǐng pang tíng
路过水井旁，停
xia lai bǎ huà jiǎng
下来，把话讲。

hā hā hā
“哈哈哈，
wǒ jiā zài dōng hǎi
我家在东海，
jiù bǐ nǐ jiā dà
就比你家大。”

qīng wā bù fú qi fēi yào wū
青蛙不服气，非要乌
guī shuō yi shuō dōng hǎi yǒu duō dà
龟说一说，东海有多大？

wǒ jiā dōng hǎi shí zài dà
“我家东海实在大，
jiāng hé hú pō zhuāng dé xià
江河湖泊装得下。”

qīng wā tīng le liǎn er hóng
青蛙听了脸儿红，
zài yě bù gǎn shuō dà huà
再也不敢说大话。

猪大哥点数

育儿宝典：

七头可爱的小猪猪上山打柴火，回到家，猪大哥点数，可是不管猪大哥怎么数，总是少一头，这是为什么呢？原来粗心的猪大哥忘记把自己数上了。通过这则有趣的故事，不仅能让孩子养成做事不粗心的好习惯，还能让孩子在点数图中的小猪猪时，学习数数。

qī tóu xiǎo zhū zhu
七头小猪猪，
shàng shān dǎ chái huo
上山打柴火。

hēi yō yō hēi yō yō chái
嘿哟哟，嘿哟哟，柴
huo dǎ le yí dà duò
火打了一大垛。

bàng wǎn huí dào jiā， dà gē lái diǎn shù。

傍晚回到家，大哥来点数。

yī èr sān sì wǔ liù
"一二三四五六……"

shǔ lái yòu shǔ qù shǎo le yì tóu zhū
数来又数去，少了一头猪。

dà gē jí de wā wā jiào pǎo

大哥急得哇哇叫，跑

dào shān shang zhǎo xiǎo zhū

到山上找小猪，

yè shēn le yuè

夜深了，月

liang xiào xiǎo zhū hái shì

亮笑，小猪还是

méi zhǎo dào

没找到。

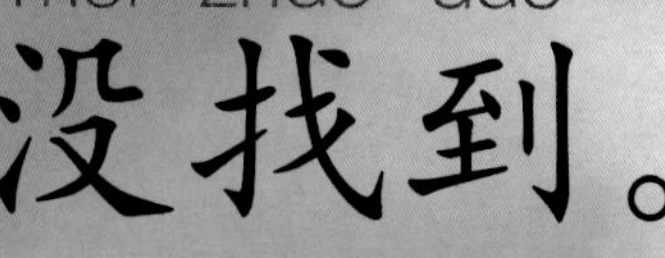

mā ma huí dào jiā qīn zì
妈妈回到家，亲自
lái diǎn shù yī èr sān sì wǔ liù
来点数：“一二三四五六
qī qī tóu xiǎo zhū dōu dào qí
七，七头小猪都到齐。”

zhū dà gē zhēn hú tu diǎn shǔ
猪大哥，真糊涂，点数
xiǎo zhū zhu wàng bǎ zì jǐ shǔ
小猪猪，忘把自己数。

毛毛虫

育儿宝典：

毛毛虫小的时候，一点儿也不好看，大伙儿都笑话它。可毛毛虫经过努力，在蛹壳里变成了一只美丽的蝴蝶。当那些曾经嘲笑过它的人不停地赞美蝴蝶的美丽时，又有谁知道它就是当初那条不起眼的毛毛虫呢？所以，我们看事物，对待伙伴不要用外表来决定好坏。

xiǎo xiǎo máo mao chóng
小小毛毛虫，
duǒ zài cǎo cóng li bù gǎn
躲在草丛里，不敢
lù chū tóu
露出头。

yīn wèi dà jiā
因为大家
jiàn le tā dōu shuō
见了它，都说
chóng chóng chǒu
虫虫丑。

máo mao chóng zhēn nán guò jiàn
毛毛虫，真难过，见

le dà huǒ er liǎn er xiū
了大伙儿脸儿羞。

tiān tiān duǒ zài yǒng
天天躲在蛹
ké li kū ku tí tí
壳里，哭哭啼啼
lèi er liú
泪儿流。

yǒu yì tiān máo mao chóng zuān chū
有一天，毛毛虫钻出
hòu hòu de dà yǒng ké
厚厚的大蛹壳。

dà jiā jiàn le tā qí shēng
大家见了它，齐声

bǎ gē chàng hú dié hú dié zhēn měi
把歌唱：“蝴蝶蝴蝶真美

lì
丽。”

xiǎo hú dié lè hē hē shéi yě
小蝴蝶，乐呵呵，谁也
bù zhī dào tā céng shì tiáo máo mao chóng
不知道，它曾是条毛毛虫。

没有牙齿的大老虎

育儿宝典：

糖果甜甜的、香香的，吃起来真可口。虽然糖果好吃，但一定要有节制哦，不然就会像大老虎那样失去锋利的牙齿，变成两排难看的蛀牙。

dà lǎo hǔ，zhēn kě pà，

大老虎，真可怕，

zhǎng zhe liǎng pái jiān jian yá。

长着两排尖尖牙。

dòng wù men
动物们，
hài pà tā jiàn dào
害怕它，见到
lǎo hǔ jiù duǒ cáng
老虎就躲藏。

xiǎo hú li zuì cōng míng
小狐狸，最聪明，

xiǎng le yí gè hǎo bàn fǎ
想了一个好办法。

měi tiān dōu gěi dà lǎo hǔ sòng
每天都给大老虎送
qù yí dài bàng bang táng
去一袋棒棒糖。

bàng bang táng tián yòu xiāng
棒棒糖，甜又香，

chī de lǎo hǔ lè hā hā
吃得老虎乐哈哈。

yì nián guò qù le liǎng pái jiān
一年过去了，两排尖
jian yá biàn chéng liǎng pái dà zhù yá
尖牙，变成两排大蛀牙。

xiǎo hú li dà shēng hǎn
小狐狸，大声喊，
dà jiā kuài lái bāng dài wáng yì
“大家快来帮大王，一
qǐ bá diào tā de yá
起拔掉它的牙。”

dà lǎo hǔ， méi
大老虎，没

le yá， zài yě bú shì
了牙，再也不是

lín zhōng wáng。
林中王。

育儿宝典：

中秋节的晚上，一只小猴子发现月亮掉进了井里，它赶紧呼唤伙伴前来，一个拉着一个的尾巴，把小猴送下水井，可小猴子伸手一捞，却只有一层层水波，月亮真的掉进井里了吗？猴子们望望天，月亮正挂在天上冲它们微笑呢。通过这则故事，可以让孩子学习倒影的常识。

zhōng qiū jié yuán yuè liang
中秋节，圆月亮，

gāo gāo guà zài shù shāo shang
高高挂在树梢上，

yì zhī xiǎo hóu xià shān wán chòng
一只小猴下山玩，冲
zhe jǐng li rāng rang dào yuè liang diào jìn
着井里嚷嚷道：“月亮掉进
shuǐ jǐng li zhè kě zěn me bàn
水井里，这可怎么办？”

hóu zi men cōng cōng gǎn xià shān
猴子们，匆匆赶下山，
yì qǐ wéi zài jǐng bian kàn
一起围在井边看。

lǎo hóu zi yǒu zhǔ yi
老猴子，有主意，
pá shàng dà shù lái dào guà
爬上大树来倒挂。

hóu zi men yí gè lā yí gè
猴子们，一个拉一个，

kuài bǎ xiǎo hóu sòng dào jǐng dǐ xia
快把小猴送到井底下。

xiǎo hóu zi yòng shǒu lāo yuè

小猴子，用手捞，月

liang sàn chéng yì guō zhōu

亮散成一锅粥。

hóu zi men wàng wang tiān yuè liang
猴子们，望望天，月亮
zhèng duì tā men hā hā xiào
正对它们哈哈笑。

育儿宝典：

小狗给家人分苹果，把最大的给妈妈，把较大的给弟弟，剩下一个最小的给自己。小狗可真是一个懂礼貌的好孩子啊。通过这则故事，孩子不仅明白了谦让的礼仪，还可以学习最大、较大、最小三者的关系和用法。

mā ma gěi xiǎo gǒu yì pán dà
妈妈给小狗一盘大
píng guǒ ràng tā wèi dà jiā fēn yi fēn
苹果，让它为大家分一分
píng guǒ
苹果。

yī èr sān sān èr yī
“一、二、三，三、二、一，

píng guǒ yí gòng yǒu sān gè
苹果一共有三个。”

xiǎo gǒu bǎ píng guǒ yī
小狗把苹果，一
yī pái hǎo duì
一排好队。

zuì dà de，gěi mā ma，

最大的，给妈妈，

mā ma chī le xīn li lè

妈妈吃了心里乐。

jiào dà de, gěi dì di, dì di
较大的，给弟弟，弟弟

chī le xiào hē hē
吃了笑呵呵。

zuì xiǎo de，gěi zì jǐ，
最小的，给自己，

zhè yàng zì jǐ cái xìng fú
这样自己才幸福。

mā ma kuā xiǎo gǒu shì gè
妈妈夸小狗，是个

hǎo hái zi
好孩子。

dì di kuā xiǎo gǒu, shì wèi
弟弟夸小狗，是位
hǎo gē ge
好哥哥。

有趣的小手帕

育儿宝典：

花园里飘来了七块小手帕，小动物们分别把它们拿回了家，做成了不同用途的东西：小兔拿回家，把它当头巾戴；小猫拿回家，把它当成小围裙；小鸭拿回家，用它打一个漂亮的领结……小小手帕，太有趣了。小朋友，假如你有一块小手帕，会拿它做什么呢？

huā yuán li piāo lái qī kuài xiǎo
花园里飘来七块小
shǒu pà
手帕。

xiǎo tù ná huí jiā, bǎ
小兔拿回家，把
tā dàng tóu jīn
它当头巾。

xiǎo māo ná huí jiā, bǎ tā
小猫拿回家，把它
dàng wéi qún
当围裙。

cì wei ná huí jiā, yòng tā

刺猬拿回家，用它

zhuāng guǒ guo

装果果。

xiǎo zhū ná huí jiā, bǎ tā
小猪拿回家，把它
dàng huā yī
当花衣。

xiǎo gǒu ná huí jiā， bǎ tā dàng wéi jīn

小狗拿回家，把它当围巾。

lǎo shǔ ná huí jiā
老鼠拿回家，
gěi dì di zuò diào chuáng
给弟弟做吊床。

xiǎo yā ná huí
小鸭拿回
jiā yòng tā dǎ lǐng
家，用它打领
jié
结。

xiǎo xiao de shǒu pà
小小的手帕，

hǎo wán yòu yǒu qù
好玩又有趣。

育儿宝典：

这是一则让孩子判断对错的小故事，家长和老师可以通过小白兔和小灰兔对事情的不同做法，让孩子做出判断，以此培养孩子早期的公德意识和良好品德。

xiǎo bái tù chī xiāng jiāo
小白兔，吃香蕉，
xiāng jiāo pí ya sì chù diū
香蕉皮呀四处丢。

xiǎo huī tù chī xiāng jiāo jiāng
小灰兔，吃香蕉，将

pí rēng jìn lā jī lǒu
皮扔进垃圾篓。

xiǎo bái tù qù gōng yuán zhāi
小白兔，去公园，摘

duǒ hóng huā tóu shang dài
朵红花头上戴。

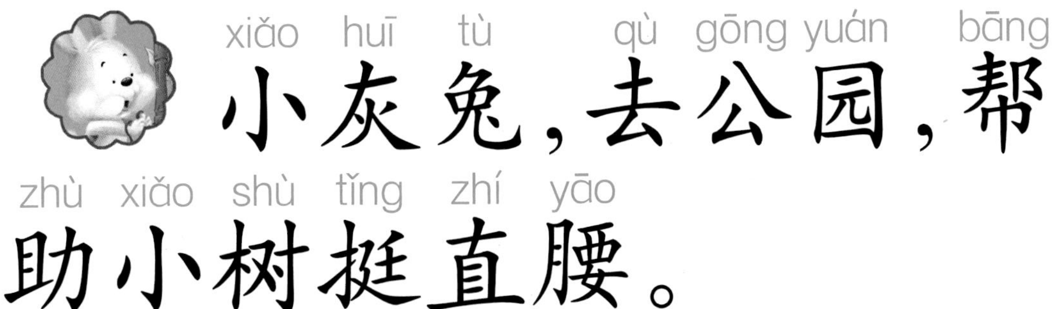

xiǎo huī tù qù gōng yuán bāng
小灰兔，去公园，帮
zhù xiǎo shù tǐng zhí yāo
助小树挺直腰。

xiǎo bái tù chéng gōng chē tuī

小白兔，乘公车，推

tui jǐ jǐ shàng le chē

推挤挤上了车。

xiǎo huī tù chéng gōng chē jiàn
小灰兔，乘公车，见

dào lǎo rén jiù ràng zuò
到老人就让座。

xiǎo péng yǒu xiǎng yi xiǎng bái
小朋友，想一想，白
tù hé huī tù shéi duì shéi cuò
兔和灰兔，谁对谁错？

育儿宝典：

粗心的小猴子只顾自己唱歌，不小心把一个苹果掉在了地上。小鸟发现了，并没有占为己有，而是四处寻找失主。问到小白兔和小花猫，它们都说不是自己的苹果。小鸟的拾金不昧，小白兔和小花猫的诚实，多值得我们学习啊。小朋友，当你捡到了不属于自己的东西时，你会像小鸟那样做吗？

xiǎo hóu zi máng gǎn lù
小猴子，忙赶路，
diào le yí gè dà píng guǒ
掉了一个大苹果。

xiǎo niǎo shí dào dà píng guǒ
小鸟拾到大苹果，
sì chù xún zhǎo shī zhǔ
四处寻找失主。

xiǎo bái tù bǎi bai shǒu zhè
小白兔，摆摆手：“这
bú shì wǒ de dà píng guǒ
不是我的大苹果。”

xiǎo huā māo yáo yao tóu zhè
小花猫，摇摇头：“这
bú shì wǒ de dà píng guǒ
不是我的大苹果。”

xiǎo hóu zi diǎn dian tóu xiè
小猴子，点点头：“谢

xie nǐ zhè shì wǒ de dà píng guǒ
谢你，这是我的大苹果！”

xiǎo niǎo pāi pai chì bǎng shuō
小鸟拍拍翅膀说：
xiǎo hóu zi bú yòng xiè yǐ hòu
“小猴子，不用谢，以后
bié zài diào píng guǒ
别再掉苹果。”

老槐树和啄木鸟

育儿宝典：

老槐树生病了，森林医生啄木鸟赶来，用嘴巴当作手术刀，啄开树皮，把害虫吃掉。老槐树病好了，高兴地哈哈笑。小朋友们，如果你们生病了，一定要像老槐树那样勇敢，不要害怕打针和吃药。

lǎo huái shù shēng
老槐树，生
bìng le téng de tā ya
病了，疼得它呀
wān le yāo
弯了腰。

fēi lái yì zhī zhuó mù
飞来一只啄木
niǎo yuàn wèi huái shù lái zhì
鸟，愿为槐树来治
liáo
疗。

zhuó mù niǎo
啄木鸟，
yī shù gāo bú yòng
医术高，不用
zhēn lái bú yòng yào
针来不用药。

zuǐ ba dàng zuò shǒu shù dāo
嘴巴当作手术刀，

zhuó kāi shù pí qiáo yi qiáo
啄开树皮瞧一瞧。

āi yā yā bù de liǎo hài chóng

哎呀呀，不得了，害虫

zhèng zài bǎ shù yǎo

正在把树咬。

zhuó mù niǎo běn lǐng gāo
啄木鸟，本领高，
chī diào hài chóng bìng jiù hǎo
吃掉害虫病就好。

lǎo huái shù hā hā xiào xiè
老槐树，哈哈笑：“谢

xie nǐ sēn lín yī shēng zhuó mù niǎo
谢你，森林医生啄木鸟。”